ANTONIO FRAGUAS

SEDMAY EDICIONES

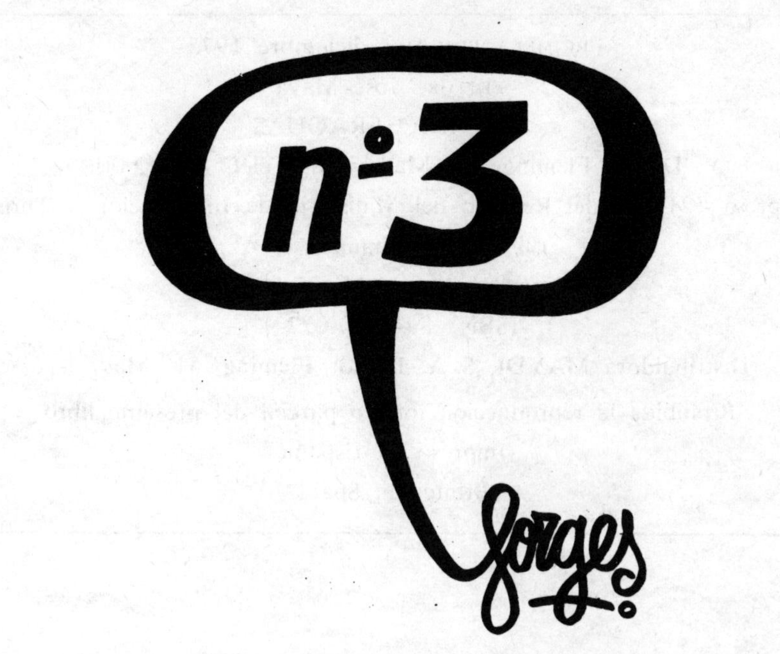
nº 3
forges

PRIMERA EDICION: diciembre 1975
EDITOR: José Mayá

Doctor Fleming, 51 - Madrid-16. Teléf. 416 12 00
Empresa 1215/74 del Registro del Ministerio de Información y Turismo
IMPRESION: Altamira, S. A.
DEPOSITO LEGAL: M. 37.593/75
ISBN: 84-7380-072-9
Distribuidora MAYDI, S. A. Doctor Fleming, 51 - Madrid-16

Impreso en España
Printed in Spain

Prólogo

EL caso del «Forges» es de los más notables de vocación precoz. Mientras sus amigos, allá en la primera decena de la vida, disputábamos, mirando al porvenir, sobre la superioridad de las profesiones respectivamente elegidas con irrevocable determinación —torero, notario de primera, practicante, etc.—, él, que no quería entrar en la polémica del rango, decía, casi sin inflexión de voz:

—Yo voy a ser dibujante de historietas, y las firmaré con seudónimo: FORGES.

Ni que decir tiene que ninguno de los demás hemos sido ni torero, ni notario de primera, ni practicante, ni, tampoco, ninguna de las otras carreras por las que, con igual inquebrantable firmeza, nos decidíamos cada semana, cual era el caso de las de buzo, ingeniero de caminos, capitán de caballería, piloto de pruebas o espadachín justiciero. El, sólo él, continuaba en sus trece: dibujante y, además, Forges, por lo de su apellido en catalán.

A nosotros no dejaba de molestarnos íntimamente tanta seguridad y tan desconcertante fidelidad a una idea. Así que con ánimo de cogerle en un «renuncio», le espetábamos la pregunta con cierta insistencia: «Oye, Antonio, ¿qué dices que vas a ser de mayor?» Fuera cual fuese la circunstancia del momento en que se encontrara —tirándole cantazos a una vaca, cazando lagartijas, montando un número circense a base de gusanos, corriendo delante de los guardas del parque municipal o tomándose una sopa de mahonesa y arroz—, siempre nos daba la misma respuesta de lo del dibujante y lo del Forges.

Llegó el caso, inclusive —ya onceañeros— en que Antonio nos arrastró a la confección de un «tebeo» con el que diéramos rienda suelta a nuestra, en aquel momento, vocación artística y con el que de paso sea dicho pensábamos hacernos ricos.

Ardua fue la elección del nombre. Después de muchas sugerencias y discusiones, el consejo de redacción —del que además de nosotros dos formaban parte Antonio Abad y su hermano Nonancho— decidió por unanimidad bautizar aquella joya del humor con el nombre de EL CANGURO. El primer número, elaborado íntegramente a lápiz y exhornado con manchas de toda procedencia —chorizo, foie-gras, barro, sangre verde de oruga, etc.— quedó, para nuestra satisfacción, de lo más aparente; contaba incluso con su página de pasatiempos. Recuerdo especialmente uno, de agudeza visual, cuyo pie rezaba: «La hortelana ha perdido su pato... ¿Sabríais encontrarlo?», y en el que el extraviado palmípedo era escandalosamente visible, de cabeza y entre nubes, encima de un tejado, lo que provocaba, claro, en los demás una ruidosa hilaridad y una correlativa irritación en el autor de la adivinanza, trabajosamente elaborada con el firme propósito de plantear un difícil problema de localización óptica.

Lo peor fue la comercialización del número. Una vez terminada, caímos en la cuenta de que para forrarnos el bolsillo necesitábamos, no un ejemplar, sino unos cuantos miles. Desechadas las sugerencias de vender el número por sesenta pesetas, cifra con la que nos considerábamos acaudalados de por vida —incluso los más optimistas veían poco probable que un «mayor» diera ese capital por nuestra obra—, o, también, se apuntó dibujar a mano esos miles de números necesarios para venderlos a más asequible precio, al final se impuso la cordura y el buen sentido: el tebeo sería alquilado al precio de 0,25 pesetas la leída.

No encontramos más que un lector dispuesto a pasar por el privilegio de dar lectura a la selecta pieza de la literatura gráfica. El lector, dotado de ese raro sentido que es el buen humor, lloró de risa y nos dio dos pesetas, que fueron inmediatamente invertidas en la adquisición de dos pastillas de chicle «Bazoka» y cuya distribución en especie entre los artistas no dejó de ser motivo de polémica.

Intentamos un segundo número, de más lujosa presentación e ilustrado de vivos colores; sin embargo, el recuerdo del fracaso anterior pudo más para los no vocacionales del lápiz y «El Canguro» murió sin haber llegado a dar siquiera su segundo salto.

Mientras los demás volvíamos a nuestros arcos, flechas y galopadas en imaginados «pura sangre», Toño Fraguas, que compartía también nuestras actividades bélicas, no dejaba, sin embargo, de dibujar sus historietas, las más de las veces en papel higiénico, que era el único de disposición inmediata y abundante en nuestras casas.

Tanta perseverancia llevó consigo el que ya «teenagers», no nos sorprendiera en absoluto saber que a Toño le habían publicado un chiste en «Pueblo». Gran revuelo en la panda, reunión en un bar de la calle Tetuán —cerveza y calamares fritos— para festejar el evento... y el resto ya lo conoce usted, amigo lector, por lo que me excuso de hablar en extenso de su obra.

Yo, particularmente, me permitiría subrayar lo que considero una de las principales virtudes de su prolífico ingenio, y es la forma en que la bondad natural de Antonio Fraguas se ha traslucido en la producción «forgiana». Creo que difícilmente puede darse un sentido crítico tan agudo en el que la mala baba esté tan ausente. Ingenuidad, candor y ternura resplandecen con luz propia. Si alguien, en alguna ocasión, se ha sentido «picado» por una de sus caricaturas es, sin duda, o porque su termómetro del sentido del humor está bajo mínimos, o porque come ajos a dos carrillos el tío.

El Espinar, a 16 de noviembre de 1975.

Antonio Baena

A todos los españoles que trabajan de día y lloran de noche.

CAPITULO I

the RETRO BOYS

MARIANO
AMA
A
CONCHA
17-2-43
TIENE QUE ESTAR EN UNO DE ESTOS
ESO ES LO QUE TÚ QUISIERAS
A LO MEJOR LO HAN TALADO...

¡DESDE LUEGO MARIANO, CUANDO TE PONES EN AGUILA DEL IMPERIO ES QUE ME CRISPAS!

EN ESTOS MOMENTOS DE RENUNCIAS, ABANDONOS Y TRAICIONES QUIERO DECIR BIEN ALTO QUE ESTOY DISPUESTO OTRA VEZ, Y LAS QUE SEAN NECESARIAS, A EMBOLSARME UN PAR DE MILLONES
TOMA; Y AQUÍ EL CONTERTULIO
PUES ESO

¡UN MOMENTO: HOY ES EL DIA DEL AMOR FRATERNO!
BUENO; PERO ESTAMOS EN EL AÑO DE LA RECONCILIACIÓN

MARUJA: UNA VEZ INGERIDO EL FRUGAL ALMUERZO, COMO CORRESPONDE A LA ANCESTRAL RECIEDUMBRE DE LA RAZA, PARTO A UNA DESCUBIERTA POR ESTE RECONDITO PARAJE DEL IMPERIO
BUENO, PERO TEN CUIDADO NO TE METAS EL PALO EN EL OJO

¿PERO ES QUE NO LO VÉ? ¡SI ES QUE VAN PROVOCANDO!
SERÉNESE, DON ONOFRE, SE LO RUEGO

¿Y EN QUÉ DESEA MATRICULARSE?
COMPLUTENSE
INFORMACIÓN
EN CIENCIAS IMPERIALES
ESO NO EXISTE
ESO ES LO QUE USTED SE CREE

¡EH! ¡OIGA...! ¡EL DE LA BANDERA ROJA!

¡ÁCRATA!
Forges

¿SERÍA TAN AMABLE DE DARLE UNOS TIZONAZOS A AQUEL DE LA MELENA, QUE ESTOY SEGURO QUE ES DE IZQUIERDAS?
ANDE
Forges

...EN EL TERCER TIEMPO, POR EL CONTRARIO, WAGNER ENTRELAZA METAL Y PERCUSIÓN EN UNA ORGÍA VIVAZ DE MONOCORDES CADENCIAS. EJEMPLO...
UN MOMENTO, ANTES DE SEGUIR, ¿ESTÁ USTED SEGURO DE QUE SON ASÍ LOS FESTIVALES DE ESPAÑA?
POR SUPUESTO
PAÍS DE LOCOS

¡DEJE DE SONREIR ESTÚPIDAMENTE Y DEME UNA DE PRIMERA FILA!
HOY
BALLET RUSO

¿DE QUÉ SE ASOMBRA? ES, SIMPLEMENTE, UN PAREDÓN PORTÁTIL
JOPELINES

PARECE MENTIRA QUE EN PLENO SIGLO XVIII HAYA GENTE TAN DINOSAÚRICA
CIERTO

CASETA 827
EDICIONES Froilana
CASETA 827
BUENAS TARDES: DEME TRES TIROS Y UNA ESCOPETA

BUENAS TARDES: DEME "EL CAPITAL"
¿NORMAL O SUPER?
GASOLINA

DE ACUERDO, QUIZÁ NO LO FUERA, PERO NO ME NEGARÁ QUE FACHA DE ESTUDIANTE TENÍA

PISCINA
SEÑORAS............250
CABALLEROS..........300
TOMA DE POSESIÓN DE AQUESTA MAR OCÉANA EN NOMBRE DE CASTILLA Y LEÓN...... 500
BUENAS: UNA DE 500
JO, QUÉ DIA

¿PROFESIÓN?

OVACIONADOR ENFERVORIZADO

ESO ES NUEVO

INMEMORIAL; LOS QUE SON NUEVOS SON USTEDES

MACHO: LO DE TU PADRE YA ES PATOLÓGICO
SÍ

¿USTED A QUIÉN VA A VOTAR?
YO AL MÁS VIEJO
VALE

ESTE DEBE SER CAMPEÓN NACIONAL
CAMPEÓN NO SÉ...
VALE

DEBEN USTEDES PENSAR QUE NO SE LES VA A DAR TODO EN BANDEJA POR EL SIMPLE HECHO DE SER JÓVENES

PERDONE QUE LE INTERRUMPA, PERO SERVIDOR TIENE 38 AÑOS
NO ME LO CREO ¿Y SUS BOMBACHOS?

MARIANO; A VER SI ACABAS DE UNA VEZ CON LOS ANÓNIMOS DE HOY, QUE NECESITO LA CACEROLA

DE LA FIESTA DE BLAS...
DE LA FIESTA DE BLAS...
TODO EL MUNDO SALÍA
CON UNAS CUANTAS
COPAS DE MÁS...

...Y ESTE ES MI FUERA-BORDA
NO HACE FALTA QUE LO JURE

¿QUÉ MIRAN? ¿ES QUE NO HAN VISTO NUNCA UN FLOTADOR?

AVE MARÍA PURÍSIMA...
YA EMPEZAMOS
¡CURAS ROJOS AL PAREDÓN!

¡CUIDADO! ¡CRÍAS DE UNIVERSITARIO!

MUY BIEN, ME PLACE; PÓNGAME EL ROJO, EL SECRETARIO GENERAL TÉCNICO, EL FAMILIAR Y UN PAR DE SUBDIRECTORES GENERALES
SE ME HA OLVIDADO DECIRLE QUE TENEMOS, ADEMÁS DE ESTE, OTRO MODELO DE ROJO QUE, MERCED A UN INGENIOSO DISPOSITIVO, ARROJA LLAMARADAS POR LA BOCA
FASCINANTE, LO PREFIERO
Forges

CAPITULO II

los del FUTURO

¡CIELOS, UNA PANDERETA! ¡HUYAMOS!
Forges

YO TAMBIEN FUÍ JÓVEN E INCONFORMISTA;
RECUERDO UNA VEZ, EN 1802...
¡ÉLE!

HIJO MIO: HA LLEGADO EL MOMENTO DE TOMAR
EL RELEVO. TOMA.
33, GANA UNO-CERO
EL ATLETHIC DE BILBAO
ME LO
TEMÍA

¡POR ÚLTIMA VEZ: O TE BAJAS DE LA MESA
O TE CUENTO MI CAMPAÑA DEL NORTE!
CÁSPITA
JOPESTES

DON ANTONIO: PONGO EN SU CONOCIMIENTO QUE HEMOS ORGANIZADO UN ESCOTE COEFICITARIO Y HEMOS REUNIDO UNA RANA, UNA CANICA, DOS CROMOS, UN CHICLE EN BUEN USO Y SEIS PESETAS, PARA USTED
GRACIAS, HIJOS

HOY NOS HA CONTADO LA SEÑORITA UN BELLO PENSAMIENTO DE TAGORE: DECIA QUE CUANDO LLEGUE EL JUICIO UNIVERSAL EL CREADOR NOS PREGUNTARÁ A CADA UNO DONDE TIENEN LAS VACAS LAS OREJAS; DELANTE, DETRAS, ARRIBA O DEBAJO DE LOS CUERNOS. SOLAMENTE ESTA PREGUNTA. LOS QUE CONTESTEN MAL SE CONDENARAN.
ME DEJAS PREOCUPADO ¿QUÉ ES UNA VACA?
ESA ES OTRA

POR ÚLTIMA VEZ: O ABANDONAS TU POSTURA CONTESTATARIA O TE ENUMERO LA RELACIÓN DE PROCURADORES POR RAZÓN DE SU CARGO, DE CARRERILLA
PÁNICO-TRAUMÁTICO
Forges

COMO FEHACIENTE MUESTRA DE QUE COMPARTO TUS JUVENILES INQUIETUDES RUEGOTE OBSERVES MI DESALIÑADA E INCONFORMISTA MELENA
HELA AQUÍ ONDEANDO A LOS NUEVOS VIENTOS DE LA HISTORIA, AÑADO

ES MI ÚLTIMA PALABRA: O DEPONES TU ACTITUD O HAGO CIRCULAR POR EL BARRIO LA ESPECIE DE QUE ERES PERIODISTA
Forges

PAPÁ ¿QUÉ ES LIBERTINAJE?
UN EMPLEO INADECUADO DE LA LIBERTAD
¿Y QUÉ ES LIBERTAD?
LA CAUSA GENERADORA DEL LIBERTINAJE
YA TE ESTOY YO VIENDO A TÍ EL PLUMERO
¿QUE DICES?
NO, NADA

ABUELO: CUENTANOS COSAS DE CUANDO LA REPÚBLICA; NO HAY PELIGRO, PAPÁ ESTÁ HACIENDO LAS QUINIELAS
CIERTO

¡! A VER, EL CARNET ¡!
ACLARADO, YA SÉ LO QUE ES UN INFARTO

A LA UNA...
A LAS DOS...

CAPITULO III

¡la VENTANILLA FLÁCCIDA!

DESCANSO... ¡AR!
Forges

«QUE SE ME PAREN LOS PULSOS
SI YO DEJO DE QUERERTE
QUE LAS CAMPANAS REDOBLEN
SI TE FALTO ALGUNA VEEEZ...
ERES MI VIDA Y MI MUERTE
TE LO JURO COMPAÑEEERO
NO DEBIA DE QUERERTE
NO DEBIA DE QUERERTE...
... Y SINEMBARGO TE QUIERO»
ENTREGA DE INSTANCIAS
VALE; AHORA, SEGÚN LA NORMATIVA SÓLO LE FALTA "MI OVEJITA LUCERA", Y SE LA DOY
JOBAR... «YO TENGO UNA OVEJITA LÚ-CERA»...
Forges

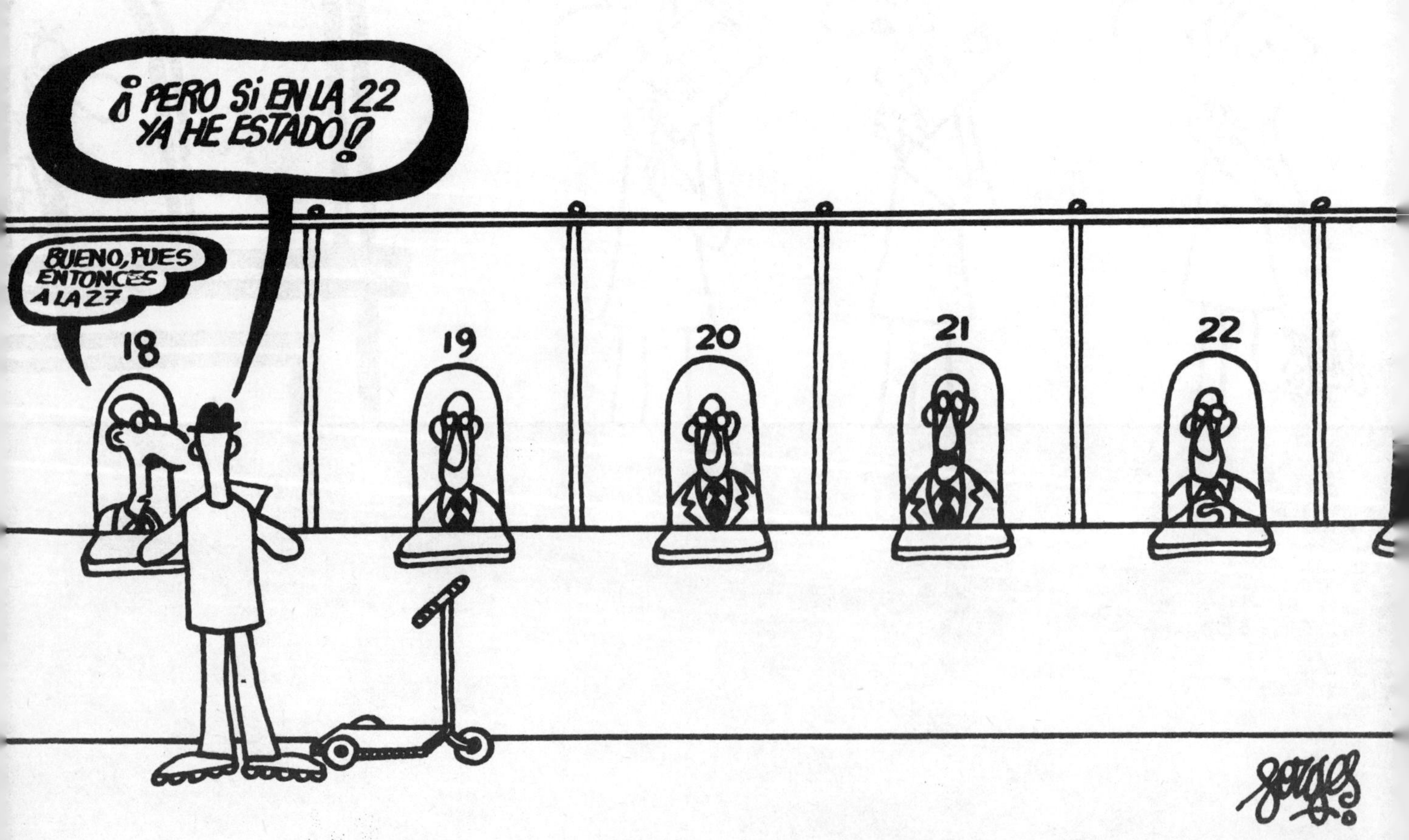
¡¿PERO SI EN LA 22 YA HE ESTADO!?
BUENO, PUES ENTONCES A LA 27
18
19
20
21
22
Forges

BUENOS DÍAS ¿ME PODRÍA DECIR PARA QUÉ ES ESTA COLA?
PUES NO SÉ, YO PASABA POR AQUÍ Y ME HA DADO COMO UN PRONTO ATÁVICO
YA

MARAVILLOSA CIERTAMENTE, PERO INSISTO EN QUE HASTA EL JUEVES NO ESTÁ SU INSTANCIA
PUES SÍ QUE ESTAMOS BIEN

BUENAS, VENGO A PRESENTAR UN RECURSO
¿SIN UN SIMPLE CERTIFICADO DE CUÑADÍA PREBOSTAL; POR LAS BRAVAS?
PUES SÍ
NUMANTINO, DELICIOSAMENTE NUMANTINO
RECURSOS

¡LE HE DICHO QUE ESPERE UN MOMENTO! ¿NO VÉ QUE ESTOY OCUPADO?
LE RUEGO ME EXCUSE; HA SIDO UN SÚBITO ARREBATO DE LOCURA
LE SUPLICO

¿CÓMO? ¿QUE AÚN NO ESTÁ MI INSTANCIA? ¡PERO SI ME DIJO QUE ESTARÍA HOY!
SÍ, PERO ES QUE FALTA UN Vº Bº DE UN JEFE QUE ESTÁ CON GRIPE
SÍ, PUES A VER QUIÉN ME PAGA A MÍ AHORA LA MARJORETTE DE TRIUNFO BUROCRÁTICO
ESO YA ES COSA SUYA
4.000, OIGA

PARA ESO LE HACE FALTA: DOCE PÓLIZAS, OCHO MÓVILES, CERTIFICADO DE PENALES, CINCO FES DE VIDA, DOS PARTIDAS DE NACIMIENTO, UNA DECLARACIÓN JURADA, CINCO FOTOS Y TRES FOTOCOPIAS DEL MODELO
¿Y SI EL BOLETO ES SÓLO DE DOS COLUMNAS?
LO MISMO

DEME DOS TRIBUNAS CUBIERTAS
¡PERO SI ESTO ES EL REGISTRO GENERAL!
316
YA LO SÉ, BERO VENGO DISBUESTO A DARLE LA MAÑANA GE ME DIÓ USDED AYER A MÍ
¡A VER, UN 2.ª BARA ASDORGA!
¡DOMA YA BABELEO!
¡TURURÚ...! ¡HIC! ¡TIO PÓLIZA!
FORGES

CAPITULO IV

El MINISTERIO NEGRO

TE AMO ¿SABES?

¿CUAL ES LA CONSIGNA DE HOY?
«MADRUGABA EL CONDE OLINOS MAÑANITA DE SAN JUAN A DAR AGUA A SU CABALLO A LAS ORILLAS DEL MAR»
PUES AQUÍ EL LLAMANTE DEBE ESTAR CON LA MANTA, PORQUE SE HA ARRANCADO CON UN: «POR EL CAMINO VERDE CAMINO VERDE QUE VA A LA ERMITA LA FUENTE SE HA SECADO LAS AZUCENAS ESTAN MARCHITAS»
¡CIELOS, PÁSEMELO; ESA ES LA DE PRIORIDAD TOTAL!
DISFRUTAN COMO CRIOS

SECRETARÍA GENERAL TÉCNICA
ZONA POLIDEPORTIVA

CON TODOS MIS RESPETOS ES V.E UN MANTA, SR. SUBSECRETARIO

¿Y ESTE DE LA OFICIALÍA MAYOR SE FIRMA "CONFORME" O "VISTO BUENO"?
FORGES

EL DE LA CUARTA PLANTA HA HABLADO TELEFÓNICAMENTE CON ALGUIEN QUE LE HA ASEGURADO QUE SÓLO SON TRES CARTERAS. EN LA CAFETERÍA DOS DE SECRETARÍA PARTICULAR COMPARABAN LISTAS CON VELADO SIGILO. GARCIPÉREZ, EL DE ARCHIVO GENERAL, SE PASEA POR LA SEGUNDA RECIBIENDO PARABIENES. GÓMEZ PÍ SE ENTRENA EN SU NEGOCIADO CON UN "DON NICANOR TOCANDO EL TAMBOR"...
MUCHAS GRACIAS, RODRÍGUEZ, SI SALGO DE ESTA USTED LLEGA...
A MANDAR
FORGES

GÓMEZ
NO; NO ES UN POSTER, ES UN ORGANIGRAMA DEL MINISTERIO
PUES TE HA QUEDADO MUY PROPIO, GÓMEZ
Forges

SUBE EN EL ASCENSOR HASTA LA 5ª PLANTA, POR EL PASILLO DE LA DERECHA LLEGARÁ A UNA ESCALERA, EN EL SEGUNDO RELLANO VERÁ UNA PUERTA, LA REBASA; VERÁ VARIAS PUERTAS: LA CUARTA DE LA IZQUIERDA, QUE ES DE CRISTALES, DA AL MISMO ASCENSOR EN QUE HA SUBIDO, BAJA OTRA VEZ A ESTE HALL Y, FINALMENTE, SALE POR LA PUERTA PRINCIPAL, PORQUE SE HA EQUIVOCADO DE MINISTERIO
MUY AMABLE
ESTAMOS AQUÍ PARA SERVIRLE
INFORMACIÓN

«...ES GRACIA QUE ESPERA DEL RECTO PROCEDER DE V.E., CUYA VIDA GUARDE DIOS MUCHOS AÑOS»... POR CIERTO, TRÁIGAME EL MUÑECO DE CERA Y LOS ALFILERES, QUE HOY NO LE HE PINCHADO
SÍ SEÑOR

¡RÁPIDO! ¡SIGA A AQUELLA INSTANCIA!
BLAM

¿TIENE USTED CITA PREVIA?
NO
ENTONCES ARRÓJESE AL MONTÓN DE ESPERA
CIELOS
Forges

POSEO CONOCIMIENTOS GENERALES DE ADMINISTRACIÓN, RELACIONES PÚBLICAS, CONTABILIDAD, ALTA GESTIÓN Y ME SÉ COMPLETO EL "MONTAÑAS NEVADAS"
CAFETERIA
ESTANCO
PERIÓDICOS
QUINIELAS
LIBRERIA
LANAS PARA LABORES
¿LA OFICIALÍA MAYOR? PUES NO SÉ
JOCOSO
Forges

POR FAVOR, NO ME FORMEN GRUPOS EN EL PASILLO
¡PERO SI ESTOY YO SOLO!
SÍ, PERO LA BARBA...

EN ESTE MOMENTO NO SE PUEDE PONER... ESTÁ LEYENDO LA PRENSA DEL DÍA.

¡ EH, OIGA, SE LE HA CAIDO UN BOLETÍN OFICIAL!
¡ OH, CIELOS!

«MAO, MACHO...»
Forges

¿QUIÉN SE DEDICA A TACHAR MIS MATUTINAS PINTADAS? PREGUNTO
LA NOVIA DE REVERTE
YA EMPEZAMOS
Forges

EL MES QUE VIENE SERVIDOR CUMPLE ONCE BILENIOS DE SERVICIOS EN LA ADMINISTRACIÓN PÚBLICA
QUERRÁ USTED DECIR TRIENIOS
NO, NO
PUES ENTONCES BIENIOS
NO, NO: BILENIOS, DE BILIS
forges

HAY UN SEÑOR QUE QUIERE SER RECIBIDO QUE DEBE SER MUY IMPORTANTE PORQUE MIRE...
forges

YA SE NOTA UN NUEVO EMPUJE; ME HE ENTERADO QUE HAN ENCARGADO DOS BOTIJOS POR PLANTA
SIEMPRE EMPIEZAN CON GRANDES GOLPES EFECTISTAS Y LUEGO NADA
forges

HAN LLEGADO LOS PERIODISTAS
RETENGALOS BREVEMENTE;
HE DE PONERME EN
ESPERANZADOR FUTURO

ESTOY ANONADADO; HE HECHO CIRCULAR EL RUMOR DE QUE ORNELLA MUTTI VENÍA DE SECRETARIO GENERAL TÉCNICO, PERO NADA; NO HA COLADO
HUBIERA SIDO MAGNIFICENTE
ES
FORGES

FÍJATE COMO ANDA LA COSA: DEJAS CAER DESCUIDADAMENTE UN OFICIO...
FORGES

¡CHINCHATE, QUE EN TU MINISTERIO NO OS DAN GLOBOS LOS JUEVES!
¡SUERTUDOS!
FORGES

«...Y FUERON FELICES Y COMIERON PERDICES» PUNTO FINAL, SEÑORITA
ORIGINAL Y TREINTA Y DOS MILLONES DE COPIAS
Forges

ES PARA USTED; SU CHELI.
Forges

DE ORDEN DEL ILUSTRISIMO QUE LE SUBAN UNOS VALORES ETERNOS
¿CON AGUA O CON HIELO?

DESEARÍA VER A...
ESTÁ REUNIDO
PERO SI AÚN NO LE HE DICHO A QUIÉN
LO MISMO DA: ESTÁ REUNIDO
EFERVESCIBLE

PONGO EN SU CONOCIMIENTO QUE DESEA SER RECIBIDO UN MOTORISTA PARA ENTREGARLE EN MANO UN SOBRE OFICIAL MUY EMPERIFOLLADO ¿LE HAGO PASAR O LE SEDUZCO CON MIS ENCANTOS?

¿LLAMABA USTED?
...NO...HA SIDO UN INCONTENIBLE SOLLOZO

FIJESE SI ESTARÁ CONFIRMADO SU CESE QUE SI SE ME PERMITE LE VOY A DAR UNA TOBA EN LA NARIZ
SINTOMATICO

AQUÍ HAY UN SEÑOR QUE PREGUNTA QUE A QUIÉN LE PUEDE DAR UNOS CURRITOS
EXACTO
INFORMACIÓN

ILMO. SR. DIRECTOR GRAL.
¡DEJADME A MÍ, QUE SOY EL MÁS ANTIGUO!

¿PROFESIÓN?
EXCOMBATIENTE

LO MALO DE TRABAJAR EN LA ADMINISTRACIÓN ES QUE NO SE PUEDE HACER RITMO LENTO
AHÍ LE DUELE

ME VA A PERDONAR QUE LE DÉ UNOS TIZONAZOS, PERO ES QUE ESTÁ AHÍ EL INSPECTOR GENERAL...
JOPÉ
Forges

¿VES COMO LO SABÍA YO? ESTA SEMANA JUEGA A TRIPLES EL RAYO-LEONESA

TE LA VAS A CARGAR POR COTILLA

Forges.

CAPITULO V

ECONÓMICOS

(SNIF!)

MARIANO: PARTO AL MERCADO, ENCAREZCO TU BENDICIÓN
Forges

EL SEÑORITO NO SE PUEDE PONER...
HA ESTADO EN LA BOLSA
¿LAS CEBOLLAS? A 80 EL KILO
Y UN CROCHET AL MENTÓN
LO QUE FALTABA
120 PTS
130 PTS
LA BOLSA ES EL TERMÓMETRO
DEL PAÍS
ESO ES UNA
AGRIA ESTUPIDEZ
PUES LO DIJO
USTED EL MES
PASADO
«ES DE SABIOS
CAMBIAR DE
OPINIÓN»
YA

¡PUES CLARO QUE LA MERLUZA ES DE MADERA ¿QUE ESPERABA POR 300 PESETAS EL KILO?!

SI TE DESARMAS ARANCELARIAMENTE TE DOY UNA GALLETA
¿DE CUALES?

¿A 400 EL KILO DE TERNERA? ENTONCES ¿CUANTO ME DÁ POR ESTA PIERNA?
Forges

HAY QUE VER; YA TIENE YATE HASTA EL POTITO
PRUEBA EVIDENTE DEL FABULOSO AUGE DE NUESTRO NIVEL DE VIDA
Forges

80 1/4
60 1/4
APUNTE, GÓMEZ: DOS METROS. OCHO CENTÍMETROS, CUATRO MILÍMETROS, SEIS DÉCIMAS.
SÍ, DON ANTONIO
ESTAS DEBEN SER LAS URGENTES MEDIDAS SOBRE LOS PRECIOS
SÍ

FÍJESE CUAL HABRÁ SIDO EL INCREMENTO DEL COSTO DE LA VIDA QUE SI QUIERE QUE SE LO DIGA ME TIENE QUE DAR CUARENTA DUROS
HABILÍSIMO

PERO BUENO ¿ES QUE USTED NO HA LEÍDO LAS RECIENTES DISPOSICIONES SOBRE PRECIOS?
UN SERVIDOR SOLO LEE ENSAYO, LA CIENCIA-FICCIÓN NO LE VA NADA
90 1/4
80 1/4

AQUÍ PITÁGORAS...
AQUÍ UN ESTADÍSTICO OFICIAL
ESTO... YO...
VERÁ...
...HORRIBLE...
Forges

CAPITULO VI

dos SEÑORÍAS

HABIENDO SOPESADO TODAS LAS POSIBILIDADES QUE LA EXPERIENCIA NOS MUESTRA Y EN LA SEGURIDAD ABSOLUTA DE QUE LA RAZÓN ESTÁ CON NOSOTROS, ENVIDAMOS CINCO A PARES
YO VOY COMO PERETE, A SABER 4, 5, 6 y 7
ESTO ES UN FAROL COMO LA CATEDRAL DE TOLEDO A LO ANCHO
PORQUE LLEVO MENOS NAIPE QUE UN RECIEN NACIDO, QUE SI NO...
PUES HALA, ACÉPTELAS
Forges

¡OH, QUE HORRIBLE MANCHA TENGO... Y EL CASO ES QUE ME HE PUESTO DESODORANTE!
TOMA, USA "AXILE PROCURE" Y NO TE ABANDONARÁ A MEDIA ENMIENDA A LA TOTALIDAD
¡OH, SÍ!

...Y AHORA, DE QUINTERO, LEÓN Y QUIROGA...
ADIOS MADRID QUE TE QUEDAS SIN GENTE
YES

UN GLOBO
¡DOS GLOBOS!
¡TRES GLOBOS!

¡VA DE PREMMMiiiOOO...!
¿BARQUILLOS?
POR DIOS, UN RESPETO: ENCOMIENDAS

A VER; LOS DE LA ÚLTIMA FILA QUE DEJEN DE DARSE CAPONES... UN RESPETO A ESTA CÁMARA
¿VÉ USTED A LO QUE CONDUCE UN LIGERO AMAGO LIBERALIZADOR? SI ES QUE NO ESTAMOS PREPARADOS
Y LUEGO PIDEN APERTURA
SON COMO CRÍOS

LA ENMIENDA QUE YO PRESENTO ES UNA ENMIENDA PARCIAL... Y A NINGUNO LE INTERESA UNA A LA TOTALIDAD... LA ENMIENDA -CHIM-POM- LA ENMIENDA...
ESTO ES LO QUE SE LLAMA LA "DEMOCRACIA ARMÓNICA"
ESTILO TIENE
SÍ

...Y PARA FINALIZAR ESTAS PALABRAS SOBRE LA CRISIS ENERGÉTICA SÓLO OS DIRÉ QUE ME VENDO UN COUPÉ CON MENOS DE 30.000 KM, UNA COSA FINA Y DEPORTIVA.
ESPERANZADOR FUTURO
SÍ
LA PONENCIA HA TENIDO A BIEN CAMBIAR EL PÁRRAFO FINAL, POR LO QUE EN LUGAR DE..."COLORÍN, COLORADO" SOMETE A LA CONSIDERACIÓN DE LA COMISIÓN, "...Y COMIERON PERDICES" COMO NUEVA REDACCIÓN
MUCHO ME TEMO QUE TAMPOCO CUELA
NO SEA PESIMISTA, OTRAS COSAS MÁS CHORRANTES HAN COLADO

¿COMO ESTAN USTEDES?
¡BIEEENN!
Forges

ESTO DE LOS GO-GÓS SEÑORÍAS ES DE LO MÁS CANSADO
UNA ENORMIDAD, OIGA
Forges

...SIEMPRE HE SIDO PROGRESISTA Y NUNCA LO HE NEGADO...
EN LA CARA NO VALE, QUE QUEDAN MARCAS

CAPITULO VII

¡al fino COMIC!

¡CLONK!
PERIODISMO: RUDA PROFESIÓN
SÍ

MEEC
DE ORDEN DEL SEÑOR ALCALDE SE HACE SABER: ¡¡ROJOS AL PAREDÓN!!
ES MI HERMANO EL MAYOR; SUFRE LO INDECIBLE, PERO DE PREGONERO SON 2.100 AL MES SEGURAS
PAÍS

FAMILIA...
...MUNICIPIO...
¡GUAU!
¡GUAU!
¡GRRRRRR!
¡FSSSSS!
...SINDICATO.

PRUEBAS DE ALCOHOLEMIA; HAGA EL FAVOR DE SOPLAR AQUÍ.
....7.000 DEL EVIDENTE ETILISMO, MÁS 12.000 DE MOFA A LA AUTORIDAD...
ASDTURIASSS
5.000 MÁS

ES LAMENTABLE, PERO PARA EXPLICARTE ESO NO HAY MÁS REMEDIO QUE RECURRIR A LA FÍSICA RECREATIVA
CIELOS: ME LO TEMÍA
VEAMOS... POR EJEMPLO... YA SÉ:
¡VIVA EL F.O.R.P.A.!
¡CRUNCK!
BIEN: ESTO ES EL REFLEJO CONDICIONADO, EXPLICADO EN 1903 POR PÁVLOV, QUE TANTO TE INTRIGABA
JOPÉ

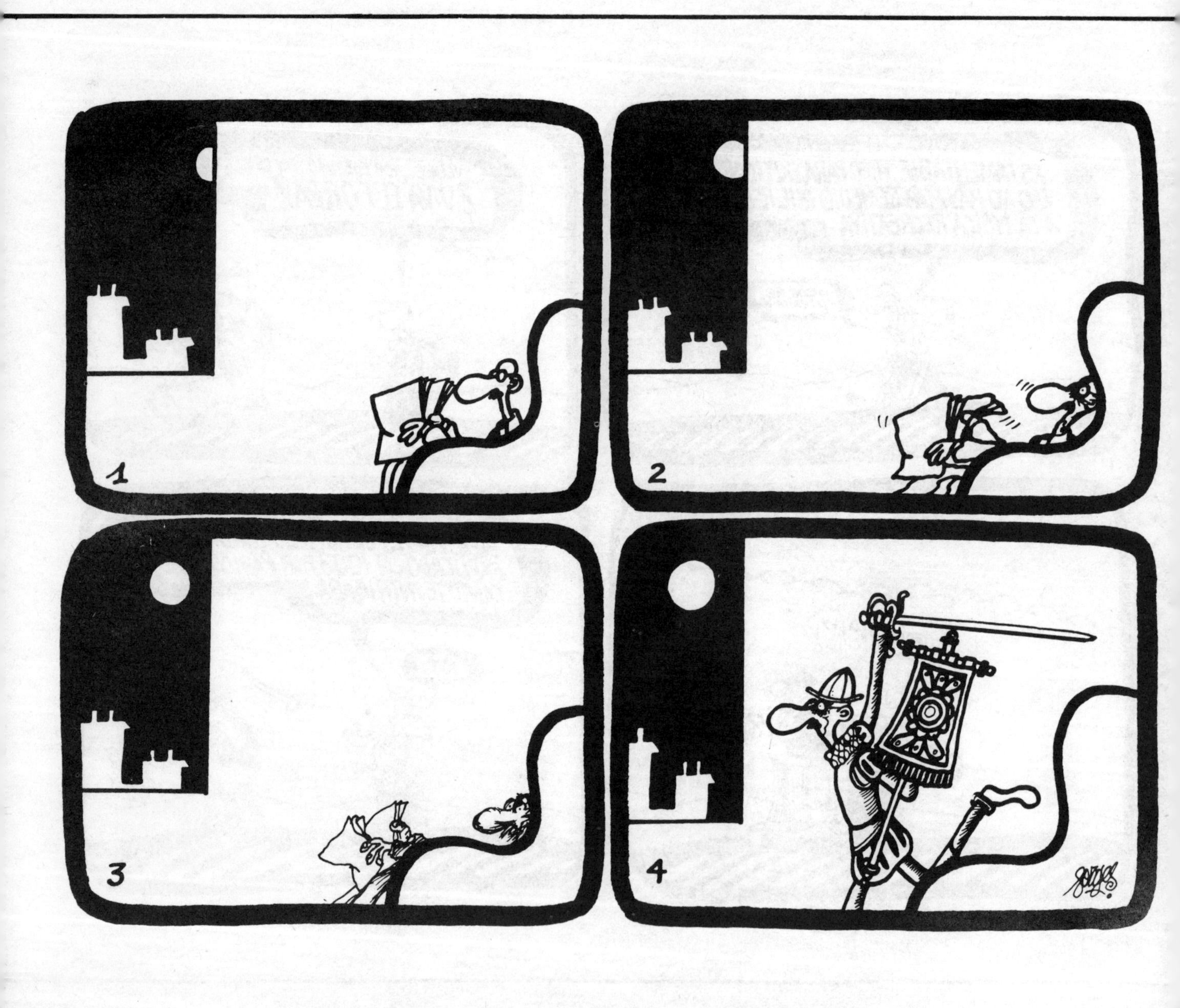

AYUNTAMIENTO
AYUNTAMIENTO
$\pi\sqrt{3}$ f r $\sqrt{5}$ bababú
FIU FIU
AYUNTAMIENTO
CIELOS ¡EL GOBERNADOR CIVIL, Y YO SIN AFEITAR
RAPIDO, SR. SECRETARIO; LE CUMPLIMENTE USTED
AYUNTAMIENTO

PERDONA QUE TE INTERRUMPAMOS EN TUS ESTUDIOS, HIJO, PERO ES QUE HA VENIDO DON VICENTE A TOMAR CAFÉ Y TE QUIERE SALUDAR ANTES DE IRSE
¡AAAAHHHHHHH!
¡POW! ¡POW!
¡BLANG! ¡BLANG!
¡BOING! ¡BOING!
¡THUND! ¡THUND!
¡FRUMBLE! ¡FRUMBLE!
¡BLUM!
HAY QUE VER CÓMO CRECEN... PARECE QUE FUE AYER CUANDO SE SENTABA EN MIS RODILLAS...
...Y HOY EN CUARTO DE POLÍTICAS... CASI INCREÍBLE, OIGA

CAPITULO VIII

dos POLITICOS (?)

SEÑOR: PONGO EN SU CONOCIMIENTO QUE SE HA ROTO LA JUNTA
¡OH, BONDAD GRACIOSA!
LOCOS, ESTAN TODOS LOCOS

TENGA CUIDADO: TIENE LOS DEDOS DE SUS PIES EN REUNIÓN ILEGAL, DENTRO DE LA PROCELOSA UMBRÍA DE SUS ZAPATOS
ES QUE CON SANDALIAS ME PASMO
ALLÁ USTED
PUEDES ABANDONAR TUS CLASES DE RACIAL JOTA ARAGONESA... ERA GÓMEZ... QUE YA NO VAS DE EMBAJADOR
¿QUIENES SOMOS? ¿DE DONDE VENIMOS? ¿A DONDE NOS LLEVAN?
ME PREGUNTO
ES USTED MUY DUEÑO
PUES ESO

SEÑORITO: HA VENIDO UN DEDO ÁULICO QUE PREGUNTA POR USTED
¡OH, CIELOS! ¿DONDE ESTÁ?
LE HE HECHO PASAR AL SALÓN
RAUDO VOY
DESE PRISA, QUE ME LO ESTÁ PONIENDO TODO PERDIDO DE DESIGNACIONES

¡CESADO EL ÚLTIMO!

AL PARECER SE CONFIRMA LO DE GÓMEZ PARA GOBERNADOR CIVIL
SÍ

POR OTRA PARTE, Y SEGÚN "LE MONDE"...

ES PREMISA FUNDAMENTAL LA PARTICIPACIÓN DE TODOS LOS CIUDADANOS EN LA GESTIÓN PÚBLICA, MERCED LOS CORRESPONDIENTES CAUCES DEMOCRÁTICOS
ME REFIERO A ANDORRA, POR SUPUESTO
SUTIL PRECISIÓN

¡APERTURAAAAA...!
VALLE DEL ECO
♪TUAA-TUTUAA♪
DUBI-DUA
VALE

¡AYVÉ, LOS DONUTS!
¡PESTES!

HENOS HOY AQUÍ REUNIDOS...

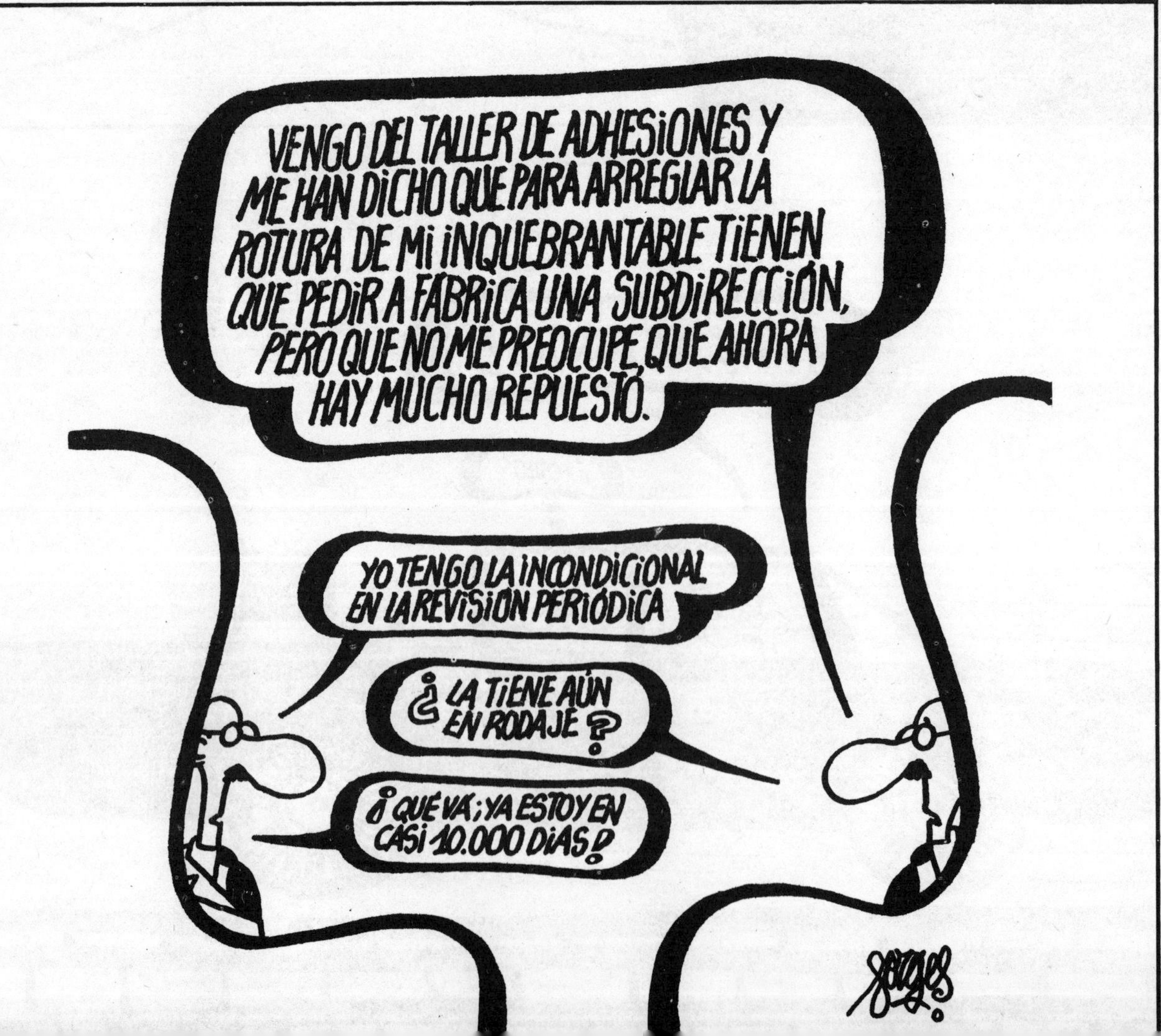

VENGO DEL TALLER DE ADHESIONES Y ME HAN DICHO QUE PARA ARREGLAR LA ROTURA DE MI INQUEBRANTABLE TIENEN QUE PEDIR A FÁBRICA UNA SUBDIRECCIÓN, PERO QUE NO ME PREOCUPE, QUE AHORA HAY MUCHO REPUESTO.
YO TENGO LA INCONDICIONAL EN LA REVISIÓN PERIÓDICA
¿LA TIENE AÚN EN RODAJE?
¡QUÉ VA; YA ESTOY EN CASI 10.000 DIAS!

LA CONSTITUCIÓN QUE TE HAS SACADO DE LA MANGA DIRÁ MISA, PERO ÓYELO BIEN; MAÑANA PIENSO BAJAR LA PIERNA
LUEGO NO DIGAS QUE NO TE LO HE AVISADO: ATENTE A LAS CONSECUENCIAS
PAÍS

CHICO: EN CUANTO OS CESAN OS QUEDAIS EN NADA

YO SOY PROCURADOR POR RAZÓN DE MI CARGO
¿QUÉ CARGO?
MUY AMABLE: EL PORTAFOLIOS POR FAVOR

NADA MÁS LEJOS DE MI ÁNIMO QUE SUBVERTIR LA VIGENTE LEGALIDAD, PERO TENGO UNA GUSA QUE NO ME LAMO, SEÑORITO

BUENOS DIAS: VENGO A PEDIR JUSTAS EXPLICACIONES SOBRE MI NOMBRAMIENTO COMO MINISTRO SIN CARTERA
ES QUE SI NO TE LA COMES
ESO ES PATERNALISMO, COMUNICO A V.E.
LENTEJAS, SON LENTEJAS
¡LENTEJAS! ¿DONDE, DONDE?

Y USTED ¿EN QUE ORGANISMO OFICIAL TRABAJA?
EN NINGUNO, YO SOY CANDIDATO
AH, BUENO

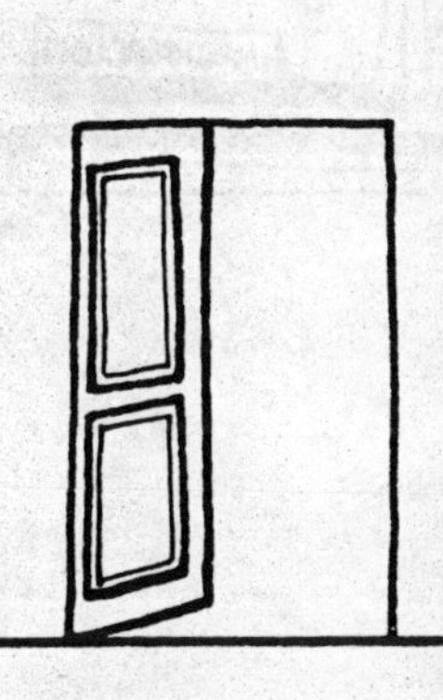

MARIANO: PONGO EN TU CONOCIMIENTO QUE EL FONTANERO HA CONCLUIDO LA REPARACIÓN DEL GRIFO DEL LAVABO, QUE SI LO INAUGURAS HOY
HOY NO, MAÑANA
A MI ME PARECE MUY BIEN TU PROGRAMACIÓN DE ACTOS PÚBLICOS, PERO YA ME CONTARÁS CÓMO LAVO YO LOS JERSEYS DE LOS NIÑOS

MUY BUENAS; QUE VENÍAMOS A INSCRIBIRNOS COMO ASOCIACIÓN POLÍTICA
NO ESTOY MUY SEGURO PERO ME PARECE QUE ESO ES EN LA ESPAÑOLA DE FUTBOL
GRANDIOSO
INFORMACIÓN

UN SERVIDOR ES INASEQUIBLE AL DESALIENTO, DE 50.000 MENSUALES EN ADELANTE
ENORME

¡INVÓCO LA CARTA DEL ATLÁNTICO!
ESTO ES EL MEDITERRÁNEO
JO, QUE MALÁ PATA

ESTEBAN; PARE UN MOMENTO EN LAS CORTES QUE LES VOY A DAR UNAS TOBITAS A LOS LEONES.
¡RAYOS, DÍA CHORRA!

MIRE, PARA QUE LO ENTIENDA: SI YO LE PONGO EL PIE EN LA CABEZA ESO ES LIBERTAD, PERO SI ME LO PONE USTED A MÍ ES LIBERTINAJE
ACLARADO
POR ESO NO NOS CANSAREMOS DE AFIRMAR ROTUNDAMENTE QUE NO HAY QUE CONFUNDIR AMBOS DOS TÉRMINOS
SÍ SEÑOR

POR DIOS, MARIANO, REACCIONA ¿QUE TE OCURRE? ¿TE HAN CESADO?

HAY QUE VER LO QUE CAMBIA TODO; HACE UN PAR DE AÑOS ERA VICEVERSA
SÍ

QUE DIGO YO QUE ERA MEJOR ANTES, CUANDO LAS CENAS POLÍTICAS

VAMOS PARA ATRAS COMO LOS POLÍTICOS
SÍ

...Y OS PROPONGO QUE ELIJAMOS COMO JEFE EFECTIVO DE NUESTRA ASOCIACIÓN AL ACTUAL JEFE PROVISIONAL
¡CHORIZO!
SEÑOR SECRETARIO TOME NOTA: NOMBRADO POR ACLAMACIÓN
Forges

JOPÉ, QUE PESADO
ME ESTÁ TIRANDO PELOTILLAS
Forges

HE PENSADO IMPRIMIR UN TALANTE TOTALMENTE DEMOCRÁTICO EN NUESTRAS RELACIONES FAMILIARES, POR LO QUE, A LOS POSTRES, VOTAREMOS EL DIA, HORA Y HABITACIÓN DE LA MANIFESTACIÓN DE ADHESIÓN INCONDICIONAL A MÍ PERSONA, CORRESPONDIENTE AL MES EN CURSO.
HE DICHO

EN ESTE MOMENTO NO SE PUEDE PONER: ESTÁ VERIFICANDO SU PODER DE CONVOCATORIA

...LA FAMILIA...ESTA POR EL MUNICIPIO...

GRACIAS, GRACIAS; SÓLO SON UNAS IMPROVISADAS CUARTILLAS
¡PLAS!
¡PLAS!

LO DE QUE EL MOVIMIENTO SE DEMUESTRA ANDANDO, DEPENDE
HAGA EL FAVOR DE CALLARSE Y TENGAMOS LA FIESTA EN PAZ
EN PAZ Y LUMBAGO

¡MARIANO, EL AGUA CALIENTE!
Forges

CAPITULO IX

ELLOS und ELLAS

¿HAS PENSADO POR UN MOMENTO
SI SERVIDORA SE FUERA DE LA HUMEDA?
MATESA
Forges.

ESTA AHÍ UNO DE LOS SECULARES ENEMIGOS QUE AGAZAPADOS EN LA SOMBRA PROCURAN FRENAR NUESTRO ASOMBROSO AVANCE EN TODOS LOS ORDENES
¿CUAL DE ELLOS ES?
EL DE LA LUZ; DOS MIL OCHOCIENTAS PESETAS, CON PERDON

RTAD
¡...Y YA TE PUEDES IR PREPARANDO, QUE LA DE MAÑANA ES FINA!

ANTONIO ¿YO SOY RESERVA ESPIRITUAL DE OCCIDENTE?
SUPONGO
BUENO; PUES NO TENGO NADA QUE PONERME

PUES VERÁ, DOCTOR: DE PRONTO SE HA PUESTO A DAR GRANDES VOCES DE ABSOLUTA DISCONFORMIDAD CON LA PUESTA AL DÍA DE LAS ESTRUCTURAS Y AL INTENTAR LEVANTARSE CON RENOVADO ÍMPETU PARA COMBATIR EL MASÓNICO CONTUBERNIO SE LE HA ROTO ALGO POR LA PARTE DE LA ESPALDA
¡ELLOS! ¡HAN SIDO ELLOS!

ANTONIO: PERDONA QUE TE MOLESTE, PERO HAY UNA PATRULLERA MARROQUÍ EN LA PILA DEL FREGADERO
PUES ESTAMOS AVIADOS
SI QUIERES LES DOY CON EL CAZO
ESPERATE UN MOMENTO, QUE VOY A ANALIZAR LA PROBLEMÁTICA
PUES DATE PRISA, QUE ME HAN AFANADO EL ESTROPAJO

MARIANO ¿HAS PINTADO TÚ EN EL PASILLO UN CARRIL DE «SÓLO BUS»?

SE TE HA OLVIDADO LA DE LA NARIZ

NO HAGAIS RUIDO QUE VUESTRO PADRE ESTÁ HABLANDO CON ALGUIEN MUY IMPORTANTE

¿Y POR QUÉ EN VEZ DE UN MASÓN DISFRAZADO NO PUEDE SER UN SIMPLE MOSQUITO?

LEVANTATE, MARIANO, QUE SON LAS 7 Y TIENES UNA REVOLUCIÓN PENDIENTE
SUGIERO UN COYUNTURAL APLAZAMIENTO
PARA NO VARIAR, VAMOS

MARIANO: TE HAS DEJADO UN PINREL FUERA DEL BUNKER

MARUJA: HAGA EL FAVOR DE QUITARLE EL POLVO AL SEÑORITO, QUE ESTA TARDE TIENE DECLARACIÓN APERTURISTA
OKEY, LADY
PUES HALA

PUES SERÁ TU ADJUNTO, PERO YO ESTOY HASTA LA CORONILLA

EN ESTE MOMENTO NO SE PUEDE PONER;
ESTÁ TOMANDO POSICIONES

ES PARA TÍ... OFRECIENDOTE UNA DIRECCIÓN GENERAL...
QUE NO ESTOY
ES QUE SI ACEPTAS REGALAN DIEZ NÚMEROS PARA LA RIFA DE UNA SUBSECRETARÍA
¡QUE NO Y NO!
QUIÉN TE HA VISTO Y QUIÉN TE VÉ, MERIMÉ

BIEN, MUCHACHO: MAÑANA A LAS NUEVE ESTARÁ UNA COPIA ENCIMA DE LA MESA DE TU SUBSECRETARIO
¡CLICK!

TÚ MUCHO MUNICIPIO Y MUCHO SINDICATO, PERO FAMILIA, LO QUE SE DICE FAMILIA...

SOY EL HAZMEREIR DE LA PELUQUERIA; COMO HOY VUELVAS SIN UN CARGO DUERMES EN EL DESCANSILLO

¡PERO SI EN SANIDAD HAN DICHO QUE NO PASA NADA!
EXACTAMENTE

¡POR DIOS, MARIANO, DESPIERTA, QUE ESTÁS SOÑANDO!
MENOS MÁL QUE ES OVACIÓN ENTUSIASTA, QUE SI LLEGA A SER ENFERVORIZADA ME DESPIERTA A LOS NIÑOS

ANTONIO ¿ES CIERTO QUE SE ESTAN PONIENDO DE MODA LAS TURGENCIAS?
«TENDENCIAS»
VAYA POR DIOS

ANTONIO ¿TÚ ERES DE LA GENERACIÓN DE TRÁNSITO?
SÍ
BUENO, PUES BÁJAME A POR EL PAN
Forges

¡VIVA DON MARCELINO!
Menendez
Y Pelayo

SÍ, MACHO; COMO QUÉ TE CREES QUE NO SE NOTA
Forges

CAPITULO X

Letras, Rótulos y PAÍS SILENCIOSO

RECUERDO DE
SU
NOMBRAMIENTO

¡CACE BRUJAS!
BRUJAS PERIODISTAS............150 PTS
BRUJAS PORTADORAS OLA EROTISMO NOS INVADE...100 PTS.
BRUJAS ESTUDIANTES.......125 PTS.
BRUJAS VENDIDOS AL ORO DE MOSCÚ, EN GENERAL...75 PTS
¡PTLAC!

PATRIMONIO
NACIONAL
PROHIBIDO EL PASO

JOP
SERVICIO NACIONAL DE PERSPECTIVAS

EL SEÑOR MARIANO
A SU GOBERNADOR CIVIL

VENTA DE AUTOMOVILES

SE CAMBIAN TEBEOS Y NOVELAS

HASTA AQUÍ LLEGÓ
EL IMPERIO EN 1942
Forges

COMISIÓN ENVIADA A CABO CAÑAVERAL PARA EL MONTAJE, PUESTA A PUNTO Y LANZAMIENTO DEL PRIMER SATÉLITE ESPAÑOL, TRABAJANDO DENONADAMENTE.
(Apunte imaginario del natural)
Forges

GRAN CASINO RURAL
CINE-CLÚ
HOY A LAS 8
«LA LOLA SE VA A LOS PUERTOS»
(VERSIÓN ORIGINAL)
MAÑANA:
"LAS CHICAS DE LA CRUZ ROJA"
Forges

¿USTED NO ES EL CHINO ESE QUE SALE EN LA TELE, QUE LO ARREGLA TODO CON LOS PIES, COMO LOS POLÍTICOS?
Forges

Forges

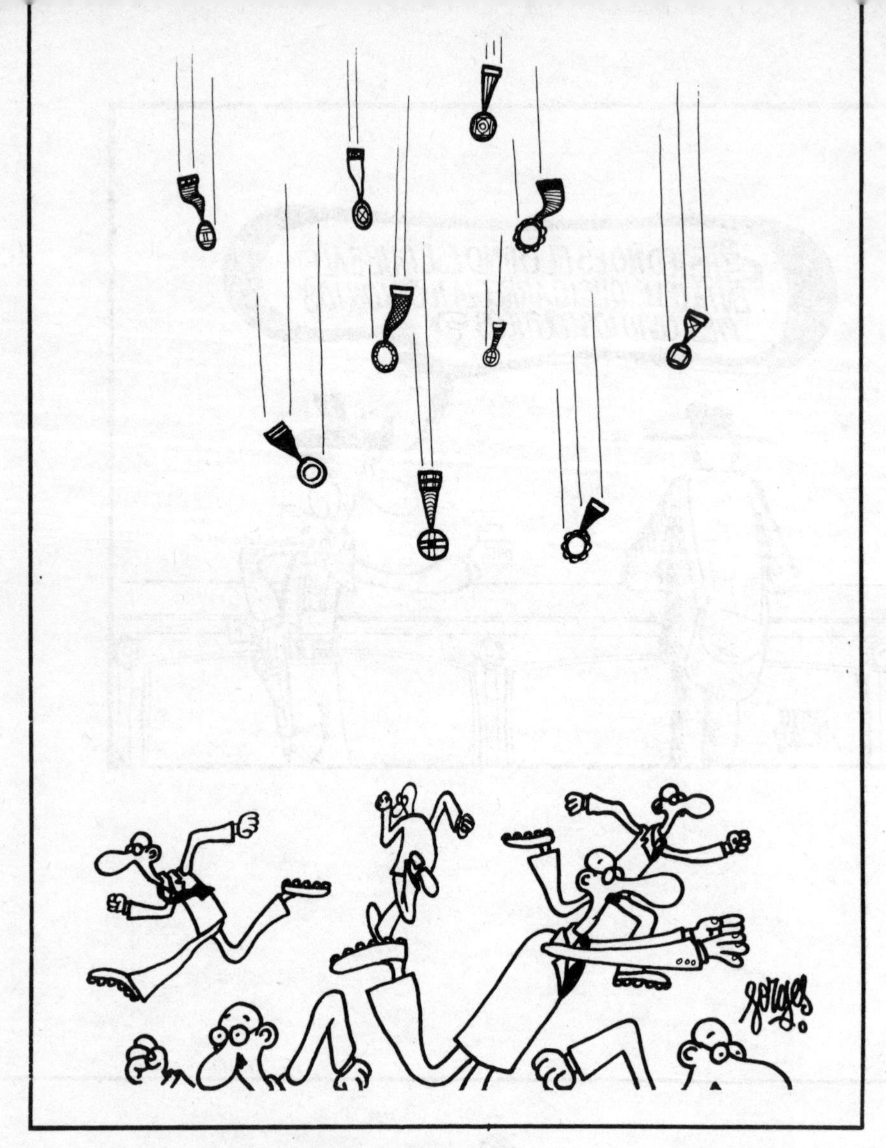

CONTUBERNIOS
JUDEO-MASONICOS
PARA EL NENE Y LA NENA
¡LO MÁS BONITO!
¡LO MÁS MODELNO!

LIBERTAD SÍ,
pero dentro de
UNA ORDEN

1er CONGRESO INTERPROVINCIAL
SOBRE VINO y MUJERES
SALON DE SESIONES

AL FINO
ARPEGIO
IMPERIAL
5 PTS
Forges

POR UN VOTO
UNA CASTAÑA

PASE SIN LLAMAR
PROHIBIDO EL PASO
SERVICIO PERMANENTE
DE 10 A 11
EXCEPTO DE LUNES A LUNES
PIDA HORA, ES
INÚTIL
NO MOLESTAR
TURURÚ
¡CHULO!

DÉ AQUÍ
SU
PATADA

PRIMER SIMPOSIO NACIONAL de
“A VER QUÉ VA A PASAR AQUÍ”

BOLETIN OFICIAL

CAPITULO XI

¡CIELOS, la PRENSA!

SI NO FUERA POR EL OLOR A TINTA DE IMPRENTA JURARÍA QUE ESTAMOS VACILANDO CON SEIS DE HIGOS
MUY BUENO
REDACTOR JEFE

COGETE UN FOTÓGRAFO, EL ABOGADO, EL NOTARIO Y EL MÉDICO, Y TE VAS A HACER UN PAR DE FOLIOS SOBRE UN GATO QUE NO SE PUEDE BAJAR DE UN ARBOL EN LA CALLE DEL PEZ
¿PUEDO LLAMAR A PILAR PARA QUE NO SE ASUSTE SI NO VOY A DORMIR?
BUENO, PERO DATE PRISA

HAZME UN PIÉ MUY EN «LE MONDE» PARA ESTA FOTO DE ESTE BELLOTAS
SÍ, SEÑOR
REDACTOR JEFE

IMPÁVIDO Y RECIO, CUMPLIENDO SU MISIÓN
AL BORDE DEL ABISMO... ESTE PINO
PARECE UN PERIODISTA.

ME DES "EL DEBATE"
PUES EL CASO ES QUE HACE TIEMPO QUE NO ME LLEGA
LO HABRAN ESCUESTRADO
A SABER
SE CANBIAN TEBEOS Y NOBELAS

ANIMO MUCHACHO; AL PRINCIPIO SIEMPRE NOS FALTA VOCABULARIO
REDACTOR-JEFE

REDACTOR-JEFE

ESCRIBEME ALGO APERTURISTA, EUROPEO, PROGRESISTA, ETC, ETC... ...MUNICIPAL, POR SUPUESTO

«...Y NO ESTAMOS DISPUESTOS A CONSENTIR MÁS FIRLUNDIOS DE LAPORDANA»
NO, SI ESTOS CUANDO SE DESTAPAN HAY QUE ECHARLES DE COMER APARTE
ME DICEN HACE UN PAR DE AÑOS QUE SE IBAN A PUBLICAR ESTAS COSAS Y NO ME LO CREO, DIGA
PUES YA VE

EL ECO DEL BIERZO
TEMPORADA 1974-75
LIGUILLA DE ANÓNIMOS AMENAZANTES
García 65
Gómez 57
Pérez 42
Manolo 39
Conchi 26
REDACTOR JEFE

¿ESTAS DECIDIDO TOTALMENTE?
SÍ
PUES HALA; VAMOS A PASEARNOS FRENTE AL AYUNTAMIENTO

CAPITULO XII

los "VARIOS"

¿A USTED QUE LE PARECE?
A MI NO ME PARECE NADA, SI NO ES EN PRESENCIA DE MI ABOGADO

¡Y TÚ ANDATE CON CUIDADO QUE TE TENGO MUY CALADA!
¿ES A MÍ?
¡NO, ES A TU TÍA!

¡LE CONMINO A QUE ME DIGA QUE ES LO QUE PIENSA CELEBRAR CON ESE ESPUMOSO VINO!

BUENAS TARDES: SOY INSPECTOR DEL NEGOCIADO INTERPROVINCIAL DE "CADA UNO EN SU CASA Y DIOS EN LA DE TODOS"; LE CONMINO A QUE ME INFORME POR QUÉ NO ESTÁ USTED VIENDO EL PARTIDO TELEVISADO
ES QUE NO ME GUSTA EL FUTBOL
¡VAYA, VAYA! HAGA EL FAVOR DE ACOMPAÑARME
Forges

OIGA, JOVEN...
¡SOY INOCENTE!

REPITO ¿TIENEN AUTORIZACIÓN?

¿USTED PROTEGE A LOS DÉBILES Y CASTIGA A LOS FUERTES?
YO SOY UN MANDADO
YA ME EXTRAÑABA A MÍ
FORGES

OS RECUERDO QUE ESTAN PROHIBIDAS LAS HUELGAS DE SOLIDARIDAD
ESTO NO ES UNA HUELGA; ES UN PARO TECNICO
YA EMPEZAMOS
FORGES

DEBE SER UN OBISPO, PORQUE LLEVA CHICHONERA

¡HAGA EL FAVOR DE ACOMPAÑARME!
¡MARIANO DESPIERTA QUE VAS A LLEGAR TARDE!
JESÚS; QUE HOMBRE ESTE

ES LA ÚLTIMA VEZ QUE LO PREGUNTO ¿SE PUEDE SABER QUE HACÍAN USTEDES REUNIDOS A LAS CUATRO DE LA TARDE EN ESE VAGÓN DE METRO?

...y el BLASILLO

AHI PIERDES EL GOBERNADOR CIVIL
YA VEO

VENGA, BÁJATE YA QUE ES MI TURNO DE JOAQUÍN COSTA

EN TRES LUSTROS HEMOS PASADO DE PAÍS EMINENTEMENTE AGRÍCOLA A PAÍS EMINENTEMENTE PAÍS
Forges

CUIDADO; NO LO TOQUES, PUEDE SER ALGUIEN IMPORTANTE

Si LOS iNTERMEDIARIOS SON LOS CULPABLES DE LOS PRECIOS NO SE A QUE ESPERAN PARA QUITARLOS
SON ELLOS
¿QUIENES?
NO PIENSO DECIR UNA PALABRA MÁS

ME GUSTARÍA SER ÉL, PARA PODER LLEVAR LA CABEZA MUY ALTA
Forges

VERAS EL CORTE QUE SE LLEVA EL SEÑOR ALCALDE CUANDO VEA QUE ES EL ASTETE
Forges

ME ACUERDO YO QUE CUANDO ERA PEQUEÑO EL ANDAR POR UNA TAPIA ME PARECÍA UNA HAZAÑA IMPERIAL DE LA RAZA
SÍ

EL MÁS GRANDE "BEST-SELLER" DE TODOS LOS TIEMPOS
SÍ

AQUELLA NUBE QUE SE PARECE A UN CAMELLO AL SEÑOR ALCALDE LE PARECERÍA UN PARTIDO POLÍTICO
IRREFUTABLE
...Y SON LOS RAYOS INFRARROJOS LOS QUE HACEN QUE UNO SE PONGA BRONCEADO
¿Y LOS INFRABLÚES?
SUELEN PONER MORADO O, VERDE, SEGÚN
CURIOSÍSIMO
YO ESTOY DUDANDO, SI VOY A LA UNIVERSIDAD, ENTRE CORRER DERECHO O POLÍTICAS
CARRERAS AMBAS DOS SON

LE HE DICHO A Mi SEÑOR PADRE QUE ME DOLÍA ESPAÑA Y ME HA PUESTO UNA CATAPLASMA

ESTÁ MAÑANA HA APARECIDO
EL PUESTO DE CAMBIO DE NOVELAS
EMBADURNADO DE PINTURA ROJA Y CON
GRANDES LETREROS DE MATIZ AMENAZANTE
¿SE LE HA DICHO AL SEÑOR ALCALDE?
SÍ, Y POR CIERTO, QUE OLÍA A AGUARRÁS UNA COSA MALA

YA HASTA LAS ARAÑAS PENSANDO EN LO MISMO
POBRECITAS
Forges

FURRÚN PARJOLILLO REÑACA CUCHURRI
DEBE SER UN POLÍTICO, PORQUE NO SE LE ENTIENDE NÁDA
POSIBLEMENTE

NO SÉ POR QUÉ SE EXTRAÑAN USTEDES DE QUE HABLEMOS LAS PIEDRAS, SI ESTAN HARTOS DE OIR A LOS FÓSILES
RUDA EVIDENCIA
SÍ
PUES ESO

MiRA... UNA URNA

CUANDO SEAMOS EUROPA
EUROPA SERÁ ASIA
SÍ
Forges

SE ESTAN HACIENDO GRANDES ESFUERZOS PARA ARREGLAR EL MEDIO AMBIENTE
SI LO QUE HACE FALTA ARREGLAR ES EL AMBIENTE ENTERO
YA; PERO NO QUIEREN

EN ESTE PAÍS YA SÓLO NOS QUEDA POR VER QUE HABLEN LAS PIEDRAS
¡QUÉ PAÍS!
NO TE VUELVAS QUE LO VES

LA AMO TANTO QUE ME GUSTARÍA SER MAYOR PARA PODER COBRAR EL SUBSIDIO DE PARO Y CASARME CON ELLA
MENOS LOBOS
PALABRA

RESUMIENDO: EL SUEÑO QUE TIENES TODAS LAS NOCHES ES QUE TÚ TE VES, DIRIGIENDOTE A VOTAR, CON TU PAPELETA EN LA MANO, HACIA UNA RELUCIENTE URNA QUE BRILLA EN EL HORIZONTE; CUANDO, DE IMPROVISO, APARECE UNA NUBE AZULADA QUE LO ENVUELVE TODO POR UNOS MOMENTOS Y AL DISPERSARSE LA URNA SE HA CONVERTIDO EN UN CAMPO DE FUTBOL Y TU VOTO EN UNA ENTRADA..
...DE ANDANADA GENERAL, FONDO SUR
YA, YA, CLARO

ES QUE ESTABA TAN EMOCIONADO QUE ME HA DADO REPARO DECIRLE QUE VENÍAMOS A ENCERRARNOS
Forges

YA ESTAMOS EN PLAN "ROBIN HOOD"... AHORA SÓLO NOS FALTA EL BOSQUE
PUES ESA ES OTRA

SOMOS TREINTA Y CUATRO MILLONES DE ESPAÑOLES, DE LOS CUALES VENTICINCO NO EXISTÍAMOS CUANDO AQUELLO
¿QUE ES AQUELLO?
UN ARBOL
Forges

VAYA POR DIOS, A LA FLORESTA SE LE HA CAIDO UNA
Forges

ME GUSTARIA SER INGLES, PARA PODER VIVIR EN ESTE PAIS
DISFRUTANDO DE SU TIPISMO
ESO
Forges

¿Y QUE NOVEDADES HAN ACAECIDO DURANTE MIS CINCO AÑOS EN ALEMANIA?
PUES... LA CHOTA RUBIA DEL SEÑOR DEMETRIO HA PARIDO CUATRO VECES
NO; SI ME REFIERO A NOVEDADES SOCIO-POLÍTICAS
PUES ESO
Forges

A ESTA ES LA QUE LOS PINTORES LLAMAN "LA HORA AZUL"
¿POR QUÉ?
PORQUE SE VÉ TODO AÚN MÁS AZUL SI CABE
Forges

NO SÉ QUÉ ES LO QUE ESTARÁ FUMIGANDO ÉSTE
LIBERALES
QUIZÁ
VAYA: SE LE HA VUELTO A ESCAPAR EL INVENTO AL SEÑOR ALCALDE
FASCIONANTE

YA NO SABEN QUÉ INVENTAR

HAN DETENIDO AL LUTE
¿A CUAL DE ELLOS?
Forges

¿SABES SI LOS DINOSAURIOS SON PELIGROSOS?
DEPENDE CUALES
Forges

ME GUSTA LA NOCHE; ES TODO MÁS EUROPA

FIJATE EN ESTA SIMPLE PATATA: ADEMÁS DE QUE SE LA COMEN, GRACIAS A LAS FASTUSAS REDES DE COMERCIALIZACIÓN, DA DE COMER A MÁS DE VENTICINCO FAMILIAS
CAVIAR

DARÍA UN BRAZO POR SABER CON QUIÉN JUEGA

LOS DERECHOS HUMANOS SON UNA COSA QUE CUANDO SE TIENE SE PUEDE SER TURISTA
VALE

DICEN QUE VAN A DESAPARECER LOS SEISCIENTOS
NO CAERÁ ESA BREVA

MATALASCABRILLAS DEL DUQUE
CON SU
ME HAGAIS EL FAVOR DE ACERCAROS EN CASA DEL SR. ALCALDE QUE OS DIGA CUAL PONGO, QUE SE ME HA OLVIDADO
DIPUTADO PROVINCIAL
MINISTRO

ÉRASE UNA VEZ UN PAÍS IMAGINARIO...
NO SIGAS, QUE SE TE VE EL PLUMERO

DICEN QUE ESTÁ ENCANTADA... EN LAS NOCHES DE PLENILUNIO SE OYEN TRISTES LAMENTOS DE AGENTES DE BOLSA
Forges

SE VA A GASTAR UNA IMPORTANTE SUMA PARA ANUNCIAR LAS NARANJAS EN EL EXTRANJERO
¿Y QUÉ SON NARANJAS?
CREO QUE UNA FRUTA, PERO NO ME HAGAS MUCHO CASO
Forges

ES CIERTAMENTE CURIOSO: HE LEIDO QUE EN LOS DESIERTOS AFRICANOS HAY HOMBRES AZULES TAMBIEN
CURIOSISIMO, EN EFECTO

COMO SIGA ESTA CALOR NO VA A HABER MÁS REMEDIO QUE HABLAR DEL TIEMPO
PRESUMIBLE

PARECEN NOSOTROS
SÍ

«MÁS VALE PREVENIR QUE CURAR»
...y «EN BOCA CERRADA NO ENTRAN MOSCAS»
VALE

DICE EL SEÑOR ALCALDE QUE DE NOCHE TODOS LOS GATOS SON ROJOS
OBSESIONANTE TRAUMA EDÍLICO
Forges

AYER ESTUVE LEYENDO A QUEVEDO, Y YA TODO ESTABA ¡GUAL
PUES QUÉ BIEN
Forges

PUES YO, CON EL PRIMER JORNAL QUE GANE, ME VOY COMPRAR UNA URNA Y ME VOY A PASAR LAS NOCHES VOTANDO VOLUPTUOSAMENTE

ALLÁ TÚ

Forges

SE PONE LA PIERNA TAL QUE ASÍ Y SE DICE CON ARROLLADORA DECISIÓN: "UN MANHATTAN"

Forges

CADA DIA QUE PASA ME DOY MÁS CUENTA DE QUE SOMOS JUVENTUD POR DECRETO
SÍ

ES INDUDABLE LA RÁPIDA PUESTA AL DIA DE LA TRADICIONAL PIROTECNIA PATRIA
JOPÉ CON LOS NUEVOS COHETES
COYUNTURALES

DECÍA UNAMUNO...
DECÍA.

DICEN QUE EL DIMAS ES EL TONTO DEL PUEBLO, PERO LO CIERTO ES QUE ES EL ÚNICO QUE NO TIENE NI COCHE, NI TELEVISOR, NI RADIO, NI NOVIA, NI HACE CONTINUAMENTE QUINIELAS
...Y SONRIE DE COTIDIANO TOTAL

AQUÍ CASTILLA...
AQUÍ UN AMIGO.
ENCANTADO

O ES UNA GRÁFICA CELESTE DE LA BOLSA
O ES EL SATÉLITE ESPAÑOL
A SABER

¿Y QUÉ HAY QUE HACER PARA SER DEMÓCRATA?
PUES RESPETAR Y ACATAR LA OPINIÓN DE LA MAYORÍA
¿Y SI A UNO NO LE GUSTA EL FUTBOL?
DEBEMOS ANDAR CON CUIDADO DE NO HACER SOMBRAS PORQUE ENTONCES FORMARÍAMOS GRUPO
...O MANIFESTACIÓN NO AUTORIZADA
TAMBIÉN

ME HA DICHO DON MARIO EL MÉDICO QUE ES UNA ARTRÓSIS ORGÁNICA Y QUE CON EL TIEMPO SE NOS CURARÁ

NO ES LO MISMO UN ESTADO DE DERECHOS QUE UNO DE FIRMES
EXACTO
PUES ESO

MIRA: UNA AMAPOLA AZUL
LA NATURALEZA ES SABIA
SÍ
Forges

A VECES ME PREGUNTO CUAL HABRÁ SIDO NUESTRO HORRIBLE PECADO

Agradezco al diario
«INFORMACIONES» las
facilidades dadas para la
confección de este libro.
¡gracias, muchos!

ESTE LIBRO
NO SE ACABO
DE IMPRIMIR
EL DIA DE
SAN ELPICIO,
16 DE NOVIEMBRE
DE 1784,
EN LOS TALLERES
DE ALTAMIRA, S. A.

Esta vez cuatro de
mosqueo y dos de
abuso, con todo
respeto.